U0065467

獻給R. —— 康娜莉雅．史貝蔓

給吉柏森和史塔林，泰德和伊莉莎白，我會想念你們！—— 凱西．帕金森

我想念你

文 康娜莉雅．史貝蔓　圖 凱西．帕金森　譯 周慧菁

親子天下

有時候，我想念你。

我想念你，因為你必須去工作。

我需要你，你卻不在這裡。

你ㄋㄧˇ什ㄕㄣˊ麼ㄇㄜ˙時ㄕˊ候ㄏㄡˋ回ㄏㄨㄟˊ來ㄌㄞˊ？

我想念你，因為你要出門了。

我想要給你看個東西，卻不行。

我好希望你在這裡陪我！

我想念你，因為你要出差。

才短短幾天，卻覺得好長好長。

我想要你親親我，跟我說聲晚安。

你回家的時候，我真的好高興、好高興！

想念是一種重重的、 痛痛的感覺。

我不喜歡想念你的感覺。

我要你現在就在這裡！

可是有時候，每個人都會想念別人。
我們都希望能在一起，卻沒有辦法。

大家都有自己的事要做。

沒多久我們就會再見面了。

我想念你的時候，別人可以幫助我。
他們提醒我，你很快就回來了。
他們陪著我、跟我一起玩。
他們溫暖又親密的陪伴讓我感覺好多了。

我也會幫助自己。
我可以抱著我的
小毛毯或小布偶。

找個舒服的地方，
看我最喜歡的書。

或是畫一張圖給你。

你離開以後，過了一陣子，
我就不再那麼想念你了。
我可以玩遊戲、做東西。

開開心心度過快樂的時光。

因為你很快就會回來。

我們都很高興又能在一起！

想念你的時候，我知道你會回來！

Sometimes I miss you.

I miss you when you have to go to work.

I want you, but you're not there.

When will you come back?

When you go out, I miss you.

I want to show you something, but I can't.
I wish you were with me!

I miss you if you have to take a little trip.

A few days seem like a long, long time.
I want you to kiss me goodnight.

I feel so happy when you come back!

Missing you is a heavy, achy feeling.

I don’t like missing you.
I want you right now!

But everybody misses someone sometimes.
We wish we could be together, but we can’t.

Everyone has things they need to do.
Soon we’ll see each other again.

When I miss you, there are ways others can help m
They remind me that you’ll be back.
They can snuggle with me or we can play.
It helps to be warm and close to someone.

There are ways I can help myself.
I can cuddle with my blanket or stuffed animal.
I can get in a cozy place and look at my favorite bo
I can draw a picture to show you.

When you go away,
after a while I don't miss you as much.
I play and make things.

I laugh and have a good time.

Pretty soon you come back.

We're both glad to be together again!

When I miss you, I know you'll be back!

作者介紹

康娜莉雅・史貝蔓（Cornelia Maude Spelman）

康娜莉雅・史貝蔓童書作品豐富，主題環繞著兒童的情緒和社會發展，透過故事，把情緒發展主題和孩子們實際的生活經驗相結合。老師和家長們對她的作品給予這樣的評價：「非常細膩、溫和、撫慰人心，而且充滿同情和同理心。」康娜莉雅是家庭與兒童專業諮商師，曾任教於研究所，也針對兒童與家庭的心理健康議題做過數百場的演說。她的子女皆已成年，她則與丈夫住在伊利諾州。她不但從事圖畫書創作，還擔任反槍械婦女團體的義工。

幼兒情緒教育，從專業精采的繪本入門！

楊俐容 台灣芯福里情緒教育推廣協會理事長

「孩子不會表達情緒、動不動就大哭大鬧」一直都是幼兒家長和老師最頭痛的問題。事實上，孩子也不喜歡自己哭哭鬧鬧，然而，情緒感受是與生俱來、不需學習的反應，但負向情緒來襲時，要好好表達並且適當調節，卻得透過周遭大人溫暖的理解、有效的安撫以及有計畫的教導，才能慢慢發展出來。

從呱呱墮地那一刻起，孩子的生活就是由一連串的事件，以及這些事件所引發的情緒感受所組成。剛出生的寶寶情緒只能粗略的分為「愉快的」和「不愉快的」兩大類，隨著生活經驗的豐富，情緒也開始分化為更多類別。到了一歲半，寶寶已擁有相當豐富的情緒感受了，而學前階段的幼兒，隨著行動範圍與生活圈的擴大，情緒也越來越多變與複雜。譬如說，心愛的玩具壞了、小朋友不跟他玩，孩子自然會因失落而感到難過；又如，積木城堡一直蓋不好、玩得正開心遊戲時間卻要結束了，孩子又會因為目標受阻而覺得生氣。此外，害怕、擔心、忌妒，以及開心、舒服、得意……等愉快或不愉快的感受，也都是幼兒生活中常見的情緒。

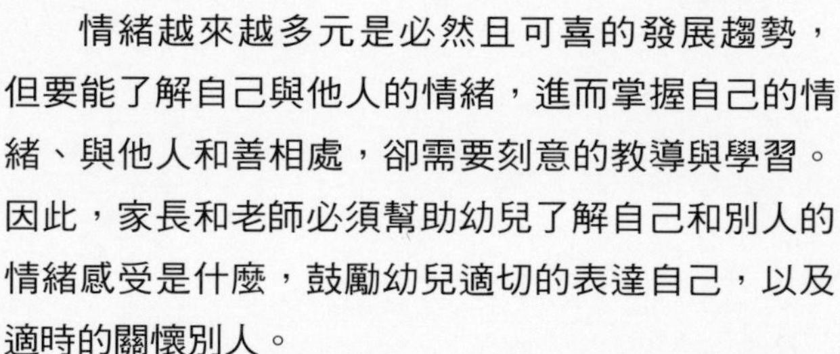

情緒越來越多元是必然且可喜的發展趨勢，但要能了解自己與他人的情緒，進而掌握自己的情緒、與他人和善相處，卻需要刻意的教導與學習。因此，家長和老師必須幫助幼兒了解自己和別人的情緒感受是什麼，鼓勵幼兒適切的表達自己，以及適時的關懷別人。

幼兒階段是開始系統化學習情緒的最佳時期，孩子需要學會與生活經驗、情緒感受互相呼應的詞彙，讓語言跟上情緒的腳步，才能逐漸擁有覺察、辨識與為情緒命名的能力，也才能善用正向情緒、轉化負向情緒，將生活的多采多姿化為成長的養分。

不過，情緒無影無形、難以捉摸與界定，必須藉助具體的生活事件與生動的插畫圖像，以幼兒熟悉的故事模式來幫助他們理解當下的情緒感受與事件的來龍去脈。因此，具有理論基礎並能完整呈現情緒元素的精采繪本，就成為情緒教育的最佳媒介，這也是我要大力推薦「我的感覺」這套幼兒情緒教育入門書的原因。

作者選擇了幼兒生活中最常見的負向情緒：難過、害怕、生氣、嫉妒、擔心做為主題，並以幼兒能夠理解的淺語，說出幼兒不易覺察的情緒元素，包括身體線索、心理感受，以及引發這些情緒的生活事件等。讓幼兒在聆聽書中主角故事的同時產生情緒理解，知道原來別人也會這樣，有這些情緒是很正常的。而反覆出現的情緒詞彙，也讓幼兒逐漸熟悉並能運用這些詞彙來表達自己的情緒；一旦幼兒能夠使用語言來表達情緒，他們就擁有了一項效能強大的工具，可以和別人溝通彼此的情緒。

當幼兒能夠自在接納情緒感受並學會適切表達之後，作者又帶著幼兒與書中主角一起發現心裡有這些感受時，可以用什麼方法來調節情緒，讓自己覺得好受一點，甚至進一步探索解決問題的可能性。從理解情緒、管理情緒到解決問題，完整呈現情緒教育的三大步驟。

除了上述幾個基本的負向情緒，作者另外挑了三個幼兒生活中常見的人際情緒課題，包括處理分離焦慮的《我想念你》、提升自信自尊的《喜歡我自己》，以及促進同理關懷的《我會關心別人》。的確，情緒不只發生在自我之內，也發生在人我之間；自我EQ是基礎，人際EQ則更進一步的促成孩子情緒成熟，讓孩子的人際關係更上層樓，也因此更能享受和其他小朋友一起遊戲學習的校園生活。所有這一切，都為幼兒未來進入小學的適應，奠定了堅實的情緒基礎。

情緒成熟需要時間的醞釀，但沒有耕耘就不會有收穫；「我的感覺」為家長和老師準備了豐富的素材，但要成為孩子的情緒滋養，還需要大人的參與和陪伴。關切幼兒情緒教育的大人，可以善用書中文字的力量、具象的插圖，以及隨書提供的情緒遊戲卡，和孩子一起玩情緒，讓您的幼兒情緒教育，從這套專業精采的繪本入門！

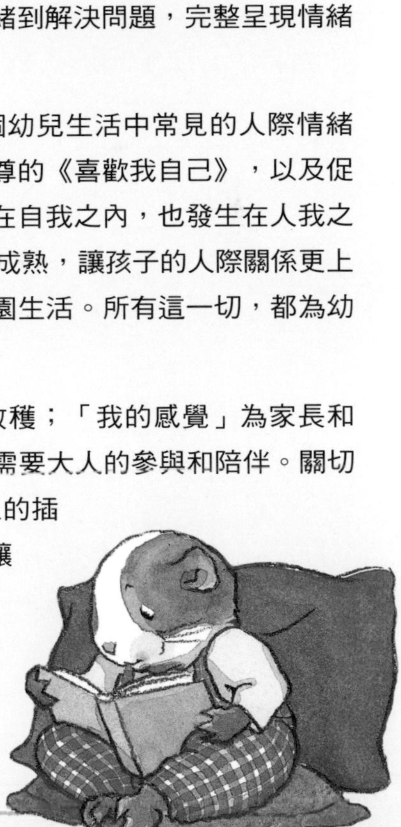

情緒的學習是一生的功課，趁早開始吧！

周育如 清華大學幼教系副教授

在幼兒發展的領域中，情緒發展是個很特別的領域，它雖然也有生理及遺傳的基礎，但較之身體、語言或認知發展，情緒能力隨著年齡與成熟而進展的情況「格外不明顯」，反而受環境與教養的影響非常大。

年幼的孩子如果未經教導，不如意時就發脾氣或揮拳打人是很常見的舉動，但這種情況長大了就會改善嗎？那可不一定，我們隨處可見許多人終其一生都沒有學會好好管理自己的情緒，年紀再大、學歷再高，無法好好處理自己情緒的一樣大有人在！

在台灣的教育中，多少年來，我們對孩子成功的重視遠遠超過對孩子幸福的關切，因此我們很少花時間教孩子怎麼跟自己相處，怎麼跟別人相處。長期下來，不只父母面對孩子的情緒問題時不知如何處理，甚至父母本身也因為沒受過情緒教育，對自己情緒的理解和處理能力也非常有限。結果在親職教育上，我們不只有處理不完的亂發脾氣的孩子，還要安撫及重新教導與孩子相互糾結、挫折又生氣的父母。

在這種情況下，「我的感覺」系列重新改版上市是格外有意義的一件事，這套書已累銷超過50萬冊，見證了父母帶著孩子學習情緒的珍貴歷程。這套書有很多值得推薦之處，包括每個主題都是孩子最常經歷的情緒、內容完整涵蓋了情緒辨識、情緒表達和情緒調節等主要成分，以及文學性、文字的溫暖度與畫面處理兼具等，原本就是很適合父母與孩子分享及討論情緒的上乘之作；除了優質的文本以外，還加上了應用的教案和情緒遊戲卡，顯然有意再多幫父母老師一點忙。

談情緒從共讀開始

在閱讀這套書時，大人剛開始可以如同一般的繪本與孩子進行共讀，先帶著孩子了解內容，看看故事人物是如何辨認、理解與調節自己的情緒；然後，大人可以仿故事結構所提供的情緒內涵，延伸討論孩子自己的經驗，例如共讀《我好難過》時，可以問問孩子有沒有難過的時候？在什麼情況下會難過？難過的感覺為何？以及難過時要怎麼做才會好過一點？ 接著，如果孩子對這些議題很有感觸或願意投入，還可以利用後面的教案和卡片和孩子玩一些情緒理解或敘說的遊戲，藉以增加孩子情緒語彙的質量、並提昇對情緒的敏銳度。

熟悉了這些內容和方法後，大人可以進一步混搭與應用。例如並不需要限於每本繪本的單一主題，而可以和孩子討論，在這些情緒中，他最常出現的是什麼情緒？很少經歷的又是什麼情緒？由於大人很容易把重點放在負面情緒的調節上，但除了教孩子處理負面情緒，許多時候更重要的其實是如何促進孩子正面的情緒，因此較全面的檢視是很有幫助的。此外，大人也可以從孩子平常的行為中去觀察，孩子發展得較好的是哪些方面？還需要再特別學習的是哪些方面？可以針對孩子特別需要補強的部分多一點的討論和練習。例如有的孩子還在學習用口語表達情緒，這時多一點情緒語彙的教導和情緒經驗敘說會很有幫助；有的孩子則是已經很會表達自己的情緒，但說完了卻仍很難接受安慰或自我調節，這時則可以多讓孩子想想情緒調節的方法，並透過角色扮演等方式來練習。

最後，這套書並不只適用於小小孩，而是在不同的年齡層可以有不同的應用。以情緒的調節策略為例，孩子很容易因為和父母分開而感到不安，但分離焦慮「可以被接受的表現」卻因年齡而異，當一個兩歲的孩子有分離焦慮時，我們可以接受並理解他的哭鬧和需要安撫；但如果一個六歲的孩子因為稍微和父母分開就大哭大鬧，可能會讓人難以接受。因此，孩子要學習的不只是自我情緒的覺察和表達，還需要理解社會的規則和期待，書中提供的內容只是例子，我們還可以和不同年齡的孩子討論，或許情緒感受本身都可以被接納，但當你遇到這樣的情況，什麼樣的表達對現在的你來說才是合適的？這種進一步的覺察和學習，對孩子長遠的發展來說將是更為重要的。

情緒的學習是一生的功課，越早開始，我們距離幸福人生就越近了一步。希望這套書成為大人和孩子一同探索情緒世界的美好開端！

衍伸討論

一起培養安全感

施玉麗 嘉義大學輔導與諮商學系副教授

孩子對喜歡的客體（例如爸爸、媽媽，或是具體的東西）有穩定明確的親密關係，才能漸漸獲得安全感，並以此為基礎，漸漸向外探索，建立獨立感。同時，孩子會在記憶中珍藏這段親密的關係，久而久之，即使客體不在，孩子也能發揮想像力，重新體驗與客體在一起的時光，產生保護的力量，度過這段特別的經驗。

繪本閱讀的延伸討論

一、了解孩子想念的事件、心思與感情

◆ 爸爸或媽媽與孩子一句接一句輪流閱讀繪本的內容

◆ 讀完後，問孩子最喜歡哪一句話（或圖片）？

◆ 如果可以用彩虹的七種顏色來代表這句話（或圖片），會是哪個顏色？

◆ 想到這個顏色，會想到什麼事？想說什麼話？想做什麼事？心情如何？

二、引導孩子想念與想像

◆問孩子什麼時候最想念爸爸（或媽媽）？

◆想念的時候，誰可以陪在身邊代替爸爸（或媽媽）？

◆ 想念的時候，有哪個心愛的玩具可以陪在身邊代替爸爸（或媽媽）？

◆ 想念的時候，可以做什麼事讓自己開心？

◆ 想念的時候，可以吃什麼東西讓自己開心？

三、引導孩子主動接近爸爸或媽媽

◆ 問孩子，彩虹什麼時候出現在天空？（提示：下雨後，太陽出來時）

◆ 問孩子，爸爸（或媽媽）不在時，怎麼知道爸爸（或媽媽）會回來？

◆ 問孩子，見到爸爸（或媽媽）回來的時候，最想說的第一句話是什麼？最想做的第一 件事是什麼？

親子延伸活動

以下活動有助於爸爸媽媽在日常生活中，為孩子建立客體的親密關係，緩和孩子的想念。

◆ **隨身陪伴物**：請孩子挑選一個具有保護作用的心愛東西陪伴。也許是摸起來舒服的絨毛熊、孩子晚上睡覺必須蓋在身邊的小毛毯、爸爸或媽媽送給孩子當生日禮物的小玩具，也許是孩子心愛的芭比娃娃或機器人。

◆ **吉祥物**：爸爸媽媽可以為孩子準備具有保護作用的宗教物，如聖母像、平安符、十字架等等;或是具有超強力量的卡通人物圖片，例如：哆啦A夢、原子小金剛等，當做吉祥物保護孩子。爸爸或媽媽也可以把這些吉祥物貼在家中的冰箱或牆壁上，時時告訴孩子，家中也有吉祥物保護。

◆ **分身物**：請孩子從自己的東西中（玩具、貼紙、文具等）選一個代表自己的分身，送給即將遠行的爸爸或媽媽帶在身邊。爸爸媽媽千萬不能遺失，以免孩子再一次受到挫折。爸爸或媽媽回家時，把這個陪伴物歸還孩子，並且感謝孩子，這個分身物讓爸爸媽媽有一段快樂的相處時光。

◆ **香包**：在五種感官中，最能引發事件回憶的是嗅覺。為了喚醒孩子與爸爸或媽媽連結的情感記憶，可以把爸爸或媽媽經常用的、也是孩子喜歡聞的東西，例如家中常用的香皂、綠油精、爽身粉、香水等，放在小布袋裡當做香包，送給孩子隨時聞，在記憶中聯想到爸爸媽媽，彷彿他們就在眼前。

◆ **神奇袋**：爸爸或媽媽也可以準備一個神奇袋，裡面放一些小紙片。孩子想念爸爸或媽媽時，就伸手進去抽一張小紙片，依照指示做一些事，消磨想念的時光。

◆ **快樂的回憶**：孩子在想念的時光中，若還能記得也有一些快樂，會是較為完整的經驗。所以，爸爸媽媽可以在孩子度過想念的時光後問他，這段時間曾經看到、聽到、做到或是吃到哪些令人快樂的東西。如果孩子說不出來，爸爸媽媽可以準備貼紙或是雜誌圖片，請孩子做出想念時也有快樂的圖案，讓孩子再一次重溫那種快樂的感受。

◆ **運用日曆、地圖、地球儀**：爸爸媽媽可以運用日曆、地圖及地球儀，向孩子解說出遠門的日期、天數、地理位置等等。在家的爸爸或媽媽可以天天與孩子共同數著回家的天數，讓孩子具體知道這只是暫時分開，爸爸媽媽一定會再回來。

◆ **運用手機**：拍下孩子的臉，放在爸爸或媽媽手機螢幕，清楚的告訴孩子，即使爸爸或媽媽不在身邊，孩子依然與爸爸或媽媽同在，不必擔心分離。

給父母和老師的叮嚀

父母和老師都知道，年幼的孩童和媽媽或爸爸分開，都會焦躁不安。但分離無法避免，有時是為了工作，有時是其他原因，父母中的一方必須在小孩眼前消失一段時間。所以父母和老師要幫助孩童，處理他們不安的情緒。

首先，不要對孩童的不安視而不見，或認為沒什麼大不了。分離真的會讓人很傷心和痛苦。在他們還沒有一次次分離又重聚的經驗，也還沒有「爸媽一定會回來」的體會之前，和爸媽分開會讓他們覺得自己被遺棄。

幼童心智的運作和大人並不相同。他們的時間感很不一樣。只有透過親身體驗，才學得會如何面對分離。

在學習分離的過程裡，我們可以做一些事，讓孩童的傷痛減到最低：

- 小孩一有悲傷的情緒，馬上以關懷的態度回應與處理
- 將小孩安置在熟悉的環境，和熟識的照顧者在一起，而非在陌生的環境、和孩子不熟識的人
- 提供小孩能讓他們安心的物品
- 分開的時間不要超過小孩年齡所能容忍的限度（如果不清楚，可詢問小兒科醫師，或參考有關兒童發展的書籍）

對這些防護措施掉以輕心，很可能影響孩童的身心發展與安全感。我們希望孩童在歷經反覆、成功的分離經驗後，能夠說出：「當我想念你，我知道你會回來！」

── 康娜莉雅・史貝蔓

When I Miss You
by Cornelia Maude Spelman and illustrated by Kathy Parkinson

我的感覺系列 1

我想念你

作者｜康娜莉雅．史貝蔓　繪者｜凱西．帕金森　譯者｜周慧菁

責任編輯｜劉握瑜　美術設計｜林家蓁　行銷企劃｜高嘉吟

天下雜誌群創辦人｜殷允芃　董事長兼執行長｜何琦瑜
媒體暨產品事業群
總經理｜游玉雪　副總經理｜林彥傑　總編輯｜林欣靜
行銷總監｜林育菁　副總監｜蔡忠琦　版權主任｜何晨瑋、黃微真

出版者｜親子天下股份有限公司
地址｜台北市 104 建國北路一段 96 號 4 樓
電話｜（02）2509-2800　傳真｜（02）2509-2462　網址｜ www.parenting.com.tw
讀者服務專線｜（02）2662-0332　週一～週五：09:00~17:30
讀者服務傳真｜（02）2662-6048　客服信箱｜ parenting@cw.com.tw
法律顧問｜台英國際商務法律事務所．羅明通律師
製版印刷｜中原造像股份有限公司
總經銷｜大和圖書有限公司　電話：（02）8990-2588

出版日期｜ 2005 年 9 月第一版第一次印行
2018 年 2 月第三版第一次印行
2024 年 6 月第三版第十二次印行
定價｜ 260 元　書號｜ BKKP0206P　ISBN ｜ 978-957-9095-12-9（精裝）

訂購服務
親子天下 Shopping ｜ shopping.parenting.com.tw
海外 ‧ 大量訂購｜ parenting@cw.com.tw
書香花園｜台北市建國北路二段 6 巷 11 號　電話（02）2506-1635
劃撥帳號｜ 50331356 親子天下股份有限公司